À mes enfants et mes petits-enfants,
en leur souhaitant de connaître dans les sports qu'ils auront choisis
autant de plaisir que le football m'a procuré.

À tous les footballeurs en herbe
qui viennent de lacer leurs premiers souliers à crampons,
en leur souhaitant de garder longtemps la fraîcheur et l'insouciance
de l'époque où ils jouaient les pieds nus sur la plage...

Écriture visuelle et mise en page : Benoît Nacci

Connectez-vous sur :
www.lamartinierejeunesse.fr

LE FOOTBALL
raconté aux enfants

BENOIT NACCI

Illustrations
DANIEL DUFOUR

De La Martinière
Jeunesse

Sommaire

Avant 1945
Chaussures à bouts durs
et chevilles montantes.

Années 60
Chaussures à crampons vissés.

Aujourd'hui.

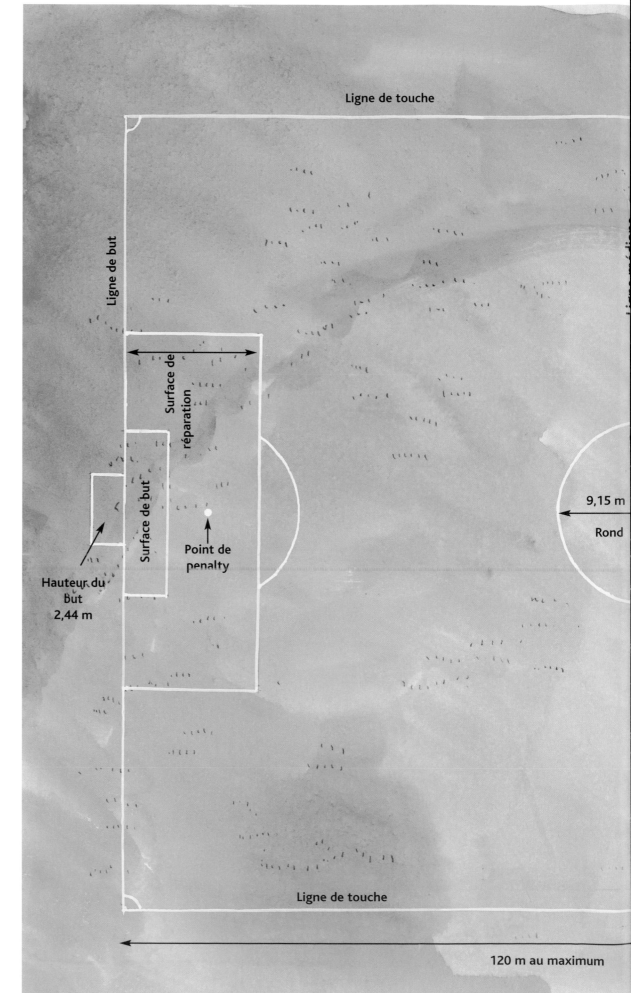

Ligne de touche

Ligne de but

Surface de réparation

Surface de but

Point de penalty

Hauteur du but
2,44 m

9,15 m

Rond

Ligne de touche

120 m au maximum

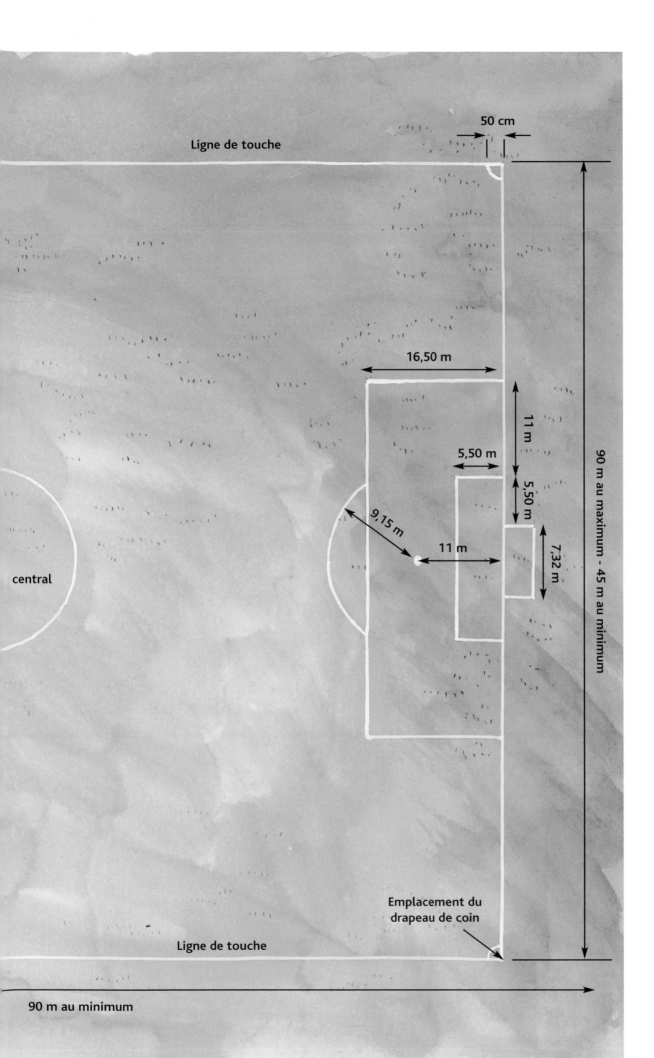

50 cm

Ligne de touche

16,50 m

11 m

5,50 m

5,50 m

9,15 m

11 m

7,32 m

90 m au maximum - 45 m au minimum

central

Emplacement du drapeau de coin

Ligne de touche

90 m au minimum

Ballon contenant une vessie.

Ballon gonflable avec une aiguille.

Aujourd'hui.

Pour les adultes, le ballon
doit avoir une circonférence
de 68 à 70 cm
et peser 410 à 450 g.
Pour les jeunes, le ballon
doit avoir une circonférence
de 63 à 66 cm
et peser 350 à 390 g.

LES PREMIERS PAS

Henry, Barthez, Thuram, Viera, Ronaldinho, Beckham, Zidane... Leurs exploits ont enflammé tous les stades du monde et enthousiasmé des millions de spectateurs. Pourtant, eux aussi, un jour, ont endossé leur premier maillot, lacé leurs premières chaussures à crampons avant de fouler un vrai terrain de foot. Instinctivement, ils se sont précipités, à la poursuite du ballon, vers le but, pour l'envoyer avec une joie sans pareille jusqu'au fond des filets. Et c'est ainsi qu'avant de devenir des champions, ils ont dû apprendre à jouer au foot en imitant, dans les premiers temps, les gestes des plus grands.

Commence alors, comme un pianiste effectuant ses gammes inlassablement, un long travail personnel afin d'acquérir technique et « attitude » : d'abord le ballon qui a du mal à décoller, poussé par des jambes trop fluettes pour lui propulser l'énergie nécessaire. Puis, le blocage sous la semelle et le renvoi au partenaire par une passe du plat du pied. Vient l'amorti, déjà périlleux puisqu'il faut que la jambe aille à la rencontre du ballon pour ensuite l'accompagner vers le sol... Plus tard, le ballon prend de l'altitude ; il faut vaincre sa peur et oser le défier du front. On découvre aussi qu'on possède un deuxième pied, moins habile que le premier mais qu'il faudra également utiliser. Puis viennent les premiers jonglages, prétextes à des défis lancés aux copains ou à soi-même pour améliorer sa performance.

Mais attention, l'envie de gagner la partie ne doit pas faire oublier le respect des règles, de l'arbitrage et des adversaires, dernières consignes avant le grand jour. Celui du premier match, après une nuit agitée où l'on rêve aux plus beaux gestes qu'on se promet de revivre tout à l'heure, devant des parents émus qui trouveront de toute façon leur garçon - ou leur fille - formidable.

Partons à la rencontre de ce sport, le plus pratiqué au monde, et découvrons ensemble, dans ce livre - les gestes types du bon footballeur ainsi que la relation privilégiée et la complicité que l'on peut établir avec le ballon rond.

Pari gagné : le retour de Zidane, accompagné
de Makelele et de Thuram, a largement contribué à
la qualification de l'équipe de France pour la
phase finale de la coupe du Monde 2006.
Élu meilleur joueur de la compétition malgré son
fâcheux "coup de boule", il présentera ses excuses
aux enfants qui ne doivent, en aucun cas,
répéter son geste.

Plongeon

L'adversaire est à 25 mètres de ma cage, un peu sur la gauche; entre nous, Vincent, le libero, est mon dernier rempart. L'adversaire essaiera-t-il de le dribbler ou de se placer sur son bon pied, celui qui fait souvent but? Mon regard est à la fois fixé sur le ballon et les pieds de l'avant-centre, prêt à toute éventualité.

Et le tir part soudain, décoché du cou-de-pied. Le ballon est légère-ment croisé sur ma droite. En une fraction de seconde je dois me détendre, à 1,5 mètre du sol, près de mon poteau. Vais-je pouvoir le détourner du bout des doigts ou le bloquer? Je n'ai pas le temps de réflé-chir, les réflexes et l'entraînement intensif consacré à cet exercice vont faire le nécessaire. Le ballon reste bien scotché dans mes gants. Ouf!

Attention surtout à ne pas le relâcher en retombant sur la pelouse car l'attaquant a poursuivi son action avec l'espoir de me voir commettre une maladresse qui, heureusement, n'arrivera pas cette fois-ci.

Une petite tape amicale d'un coéquipier pour me féliciter et je me concentre déjà pour bien relancer le ballon à un partenaire qui se démarque sur l'aile droite.

Grégory Coupet, pris à contre-pied, se trouve en bien fâcheuse posture. Avec un peu de chance, son pied droit peut encore le sauver...

Corner

Corner, côté gauche. Gardien de but, je place mes partenaires avec autorité, gestes à l'appui. Le plus grand, au premier poteau, un autre au second poteau. Un troisième me protégera de l'adversaire qui, immanquablement, se placera juste devant moi pour me gêner dans ma prise de balle aérienne ou mon éventuelle sortie entre ma ligne de but et le point de penalty. Je me place aux deux tiers de mon but car il est plus facile d'avancer que de reculer.

Pendant ce temps, l'adversaire ajuste le ballon avec minutie sur l'extrémité du quart de cercle délimitant la zone autorisée à son placement. Le terrain étant boueux, il cherche calmement à faire tenir la balle en équilibre sur l'épaisseur de la craie pour placer son pied au ras du gazon et lui donner ainsi une trajectoire montante. Le drapeau du piquet de corner flotte au vent dans la direction de ma cage. Attention, c'est un gaucher, il est probable que le ballon sera brossé de l'intérieur du pied et sa trajectoire rentrante, favorisée encore par le vent.

Devant moi, c'est le mouvement incessant et désordonné des attaquants qui tentent de se soustraire au marquage de mes défenseurs. Bousculades et tirages de maillot interdits sont pourtant fréquents; il ne faut pas se laisser intimider, répondre du tac au tac tout en restant calme et correct. Attention à la faute grossière car c'est le penalty. Aux dix-huit mètres un malin, pour échapper au marquage, tente de se faire oublier en relaçant sa chaussure. Je crie à José de le surveiller de près.

L'arbitre siffle; le gaucher a effectivement enveloppé le ballon de l'intérieur du pied et le ballon s'élève avec une trajectoire incurvée. Sortir! Une course rapide de quelques mètres dans la mêlée et une détente verticale. Je sais qu'il serait risqué de bloquer le ballon dans ces conditions, le dégagement du poing s'impose juste devant le front de l'attaquant, de manière à expédier la balle le plus loin possible en évitant l'axe central toujours dangereux.

C'est fini; vite il faut encore faire remonter rapidement ma défense pour mettre l'attaque adverse hors-jeu en cas de contre-attaque. Je peux maintenant souffler et récupérer...

Coéquipiers à la Juve, adversaires en équipe nationale, Zlatan Ibrahimovic et Gianluigi Buffon se disputent un ballon qui a déjà fait quelques victimes au sol.

À gauche, un corner avec une trajectoire rentrante.
À droite, un corner avec une trajectoire sortante.
Le quart de cercle délimitant le positionnement autorisé du ballon mesure 50 centimètres de rayon. Il est permis de placer la balle sur les lignes blanches.

L'artiste

Roulette, coup du sombrero, râteau, aile de pigeon, bicyclette, coup du foulard, talonnade à la Madjer... Le répertoire de gestes techniques permettant au joueur de se distinguer est abondant et le public friand de telles prouesses.

Ronaldinho fait partie de ces artistes qui, à chaque match, allument l'étincelle de fantaisie et de créativité attendue par le spectateur.

Le ballon est arrivé un peu haut et en retrait par rapport à sa position. Toujours attentif au placement de ses partenaires, il a immédiatement vu qu'aucun d'entre eux n'était susceptible de le jouer correctement. Alors il tente, dos au but, un spectaculaire ciseau retourné. Si, en plus de son talent, la chance est avec lui, le public lui fera une ovation méritée car il aura réussi le plus beau but de l'année. Si la tentative échoue, tant pis, la photo restera le témoignage de son audace, et comme il n'y avait pas de meilleure solution, ses partenaires et son entraîneur ne lui reprocheront pas un excès d'individualisme.

La technique et la virtuosité des joueurs brésiliens sont démontrées ici par Ronaldinho face aux défenseurs belges Van Kerckoven et Van Buyten (N° 16). Toutefois, avant de tenter un tel geste, l'acrobate doit s'assurer qu'il ne présente pas de danger pour ses adversaires susceptibles de jouer le ballon de la tête. Dans le cas contraire, il sera sanctionné par l'arbitre d'un coup franc pour «jeu dangereux».

Le tacle

Arrière latéral d'une défense à quatre, j'ai pour mission essentielle de défendre le couloir droit de toute pénétration adverse. Un rôle ingrat pour certains car il s'agit d'abord d'empêcher l'ailier d'en face d'évoluer librement mais mon entraîneur m'autorise à monter dès que l'occasion se présente. Je ne m'en prive pas car le positionnement de mes coéquipiers est organisé pour que mon poste soit couvert en cas de course vers l'avant de ma part.

C'est ce que je viens de faire et l'action s'est terminée par un bon centre intercepté par le gardien. Vite il faut revenir à ma tâche défensive car nos adversaires ont relancé le jeu de mon côté. L'ailier gauche, me voyant absent, a évidemment fait un appel le long de la ligne de touche et la balle lui est transmise, heureusement un peu derrière lui, ce qui l'oblige à revenir sur ses pas.

Essoufflé par une première course de cinquante mètres, je dois en effectuer une deuxième pour

Pour être correct, le tacle glissé doit se jouer de face ou de côté, comme celui de Patrick Vieira qui contre le Portugais Deco grâce à un grand écart de toute beauté.

me replacer. Les jambes sont un peu lourdes et les poumons me brûlent mais il faut faire l'effort.

Je suis maintenant revenu à la hauteur de l'ailier. De l'extérieur du pied droit il feinte de me crocheter vers l'intérieur mais il repart de plus belle le long de la touche pour me déborder. Vingt mètres d'une course effrénée côte à côte lui a fait prendre un peu d'avance. Le piquet de corner est maintenant tout proche; en appui sur sa jambe droite il va centrer. Mon dernier recours pour l'en empêcher est de tenter un tacle.

Comme le sauteur en longueur en athlétisme je projette mon corps de toutes mes forces mais avec la jambe droite en avant et au ras du sol. La balle part juste au moment où mon pied arrive à sa hauteur et c'est le contre espéré... Je continue ma glissade derrière la ligne de but et le ballon atterrit en corner mais le danger est écarté. Par chance, la pelouse était bien garnie à cet endroit et il ne restera de l'action que quelques centimètres de peau râpée au niveau de la hanche...

Carton rouge!

Un tacle extrêmement dangereux de l'Anglais Danny Mills sur Roberto Carlos (à gauche). Ses deux pieds largement décollés du sol, sa main gauche retenant le bras de son adversaire et son agression sur l'homme lui vaudront au minimum un carton jaune mais mériteraient sans hésitation le rouge, comme celui infligé à Andrija Delibasic par l'arbitre italien Dominico Messina.

Blessure

*U*ne intervention, pour le moins musclée, du défenseur lyonnais Claude Cacapa qui laissera des traces sur les tibias de David Beckham. Selon la gravité de la blessure, l'arbitre autorise les secouristes à pénétrer sur la pelouse en brandissant un carton vert. Transporté sur une civière, le blessé pourra être examiné par le kiné ou le médecin de l'équipe. Rétabli, il devra attendre l'autorisation de l'arbitre avant de rejoindre ses coéquipiers.

Tête à tête

Ci-dessus, le capitaine milanais
Paolo Maldini et Jan Vennegoor.
À droite, Lilian Thuram
à la lutte avec Cristiano Ronaldo.

Danger dans le camp adverse. Pris de vitesse, le stoppeur d'en face n'a d'autre solution que de dégager le plus loin possible. Le ballon vient vers moi, très haut, à la hauteur des tribunes. Libero, je suis le dernier défenseur devant mon gardien, à une quarantaine de mètres des buts.

Il ne faut pas que la balle touche le sol devant moi car le rebond sera favorable à l'attaquant qui aura le chemin du but grand ouvert. Quelques petits pas, comme au tennis, pour placer mon centre de gravité au bon endroit par rapport à la trajectoire du ballon me feront gagner les centimètres en hauteur qui rééquilibreront les chances de lutter à armes égales avec mon adversaire, légèrement plus grand que moi. Le fait d'avancer sur la balle me permet également d'avoir un meilleur élan que l'attaquant qui, lui, doit reculer pour bien se positionner.

Les bras bien écartés afin de ne pas être sanctionné d'un coup franc, je bondis en même temps que l'adversaire, poitrine contre dos. Souffle bloqué, nous sommes au maximum de notre détente. Aucun de nous n'a l'avantage et nous touchons ensemble le ballon du sommet du crâne sans pouvoir le diriger précisément. Peu importe, l'essentiel est préservé puisque maintenant mes coéquipiers se sont repliés pour poursuivre l'action défensive dès la retombée du ballon et se rendre maîtres de la situation.

La taille est un facteur important pour les défenseurs. Toutefois, la majorité des arrières latéraux ont des tailles moyennes, ce qui ne les empêchent pas de briller par leur sens du placement, leur détente, leur technique, leur hargne et leur vitesse. Au centre, on préférera néanmoins des joueurs de grande taille pour contrer de la tête les attaquants athlétiques.

Un beau ballet aérien.
À gauche, William Gallas et
Fernando Torres.
Ici, Nicolas Anelka et
Fernando Couto.

Carambolage

Une passe dans le dos de mon défenseur et c'est le face-à-face. Tout va se jouer au centimètre et à la fraction de seconde. Nous sommes lancés, attaquant et gardien de but, à pleine vitesse et le ballon se trouve exactement à la même distance de l'un et de l'autre. Le contact est inévitable puisque nous arriverons ensemble sur la balle! Les gants en avant, les bras en protection du visage il n'y a plus à espérer que le duel sera loyal car il y a rarement de blessure grave quand les adversaires se respectent.

Le choc est violent et nous voltigeons dans les airs. Le ballon nous échappe à tous les deux mais l'action est plus spectaculaire que dangereuse. Un peu sonnés, un coup d'éponge magique sera néanmoins nécessaire, davantage pour nous laisser le temps de récupérer que pour soigner un bleu qui nous handicapera plutôt demain au réveil. Soulagés, nous nous serrons la main dans un geste de reconnaissance mutuel car l'affrontement a été correct et le jeu reprend sous le regard de nos entraîneurs et coéquipiers réciproques qui, un instant, ont craint le pire...

Contrairement au coup d'éponge magique qui, s'il n'a pas de vertu médicale, ne prête pas à conséquence, la bombe de froid doit être maniée avec précaution et à bonne distance pour ne pas risquer de brûler la peau.

Sous le regard de Lilian Thuram, qui suit avec inquiétude la trajectoire du ballon, le choc spectaculaire entre Fabien Barthez et Ronaldo n'a eu heureusement aucune conséquence fâcheuse pour les deux joueurs.

Penalty!

Sanction suprême. Tous les joueurs de l'équipe bénéficiant du penalty se réjouissent, sauf un... celui qui doit le marquer! C'est une lourde responsabilité car, souvent, la victoire dépend de sa réussite. Ayant obtenu à l'entraînement le meilleur pourcentage de succès lors des séances de tirs au but, j'ai été désigné comme tireur.

Avec le goal adverse commence alors le jeu du chat et de la souris. C'est à celui qui va deviner les intentions de l'autre. Comme le joueur de poker, mon visage doit rester de marbre, afficher même une sérénité absolue. Je regarde une dernière fois, en m'attardant un peu, le coin gauche du gardien, celui où j'ai choisi de ne pas mettre le ballon, en espérant qu'il va se laisser prendre à cette fausse piste. Je pose avec précaution la balle sur le point blanc, non sans l'avoir délicatement essuyée en la frottant contre mon maillot, à la hauteur des abdominaux. Mon regard ne doit plus croiser celui du gardien. Les yeux fixés sur le ballon, je recule pour prendre un élan important. Le silence se fait dans le stade et le vide dans ma tête; seule la trajectoire imaginaire du petit filet à la droite du gardien est présente dans mon esprit, celle que devra suivre le ballon comme je l'ai tant de fois répété à l'entraînement.

L'arbitre siffle. Ma course est rapide et le tir puissant. Le gardien ne s'est pas laissé prendre au piège de mon regard et a anticipé du bon côté! Heureusement la frappe a été suffisamment précise et appuyée pour que le ballon le prenne de vitesse, au ras du poteau et à mi-hauteur, ses gants ne parvenant qu'à le frôler sans pouvoir le détourner. Imparable! Je peux crier ma joie!

Face à Martin Cardetti, Mickaël Landreau a choisi le bon côté. Il fait partie, il est vrai, des meilleurs gardiens dans cet exercice.

Injustice

Toute la semaine j'ai composé... décomposé... recomposé l'équipe en fonction des absences, des cartons rouges ou des maladies tardivement annoncées. On pourrait penser que le rôle d'entraîneur est moins difficile dans une petite division que chez les professionnels; détrompez-vous. Ce sont les mêmes angoisses, les mêmes émotions, les mêmes discours d'encouragement et de motivation aux joueurs, les mêmes reproches ou félicitations des supporters en fonction du résultat du match du week-end. À une différence près : ces joueurs, de mon village, je les ai vus pour la plupart grandir.

Bien installé sur le banc de touche, je les regarde avec plaisir essayer d'appliquer mes consignes : amusez-vous avec sérieux, privilégiez le collectif au personnel, donnez le meilleur de vous-même sans perdre l'esprit du jeu, sachez vous faire respecter, évitez les blessures, ne perdez pas le ballon inutilement, soyez toujours solidaires...

Pas question de laisser place à l'énervement et aux coups de gueule...

Quoique...

Chaque entraîneur a son style.
Fabio Capello (à gauche) et Luis fernandez
font partie de ceux qui expriment leurs
émotions. Gagneur, batailleur quand il était
joueur, Luis est resté le même en
devenant entraîneur.

Le Mur Le Mur
Mur Le Mur Le
Le Mur Le Mur

Coup de sifflet. L'arbitre ne lève pas le bras, il s'agit donc d'un coup franc direct, à vingt-cinq mètres environ de mon but, légèrement sur la droite. Je me précipite vers le poteau le plus proche de l'endroit où la faute a été commise et j'indique, doigts largement écartés, le chiffre 5. Cinq coéquipiers vont donc se placer, serrés contre Thomas, l'homme de base, qui me fait face et répond à mon commandement de placement latéral en suivant les indications que je lui transmets avec le pouce. Il doit se trouver sur la trajectoire tracée par le ballon et le poteau puis, par sécurité, se pousser encore de cinquante centimètres vers l'extérieur en cas de balle brossée qui contournerait le mur.

OK. Pouce en l'air je lui signifie que son placement est bon. Il peut maintenant se retourner et s'avancer, accolé et aligné à ses partenaires, aux neuf mètres réglementaires qui le séparent du ballon.

Pendant ce temps je me positionne à l'autre extrémité du mur, juste à l'endroit qui me permettra de voir partir le tir. Si l'adversaire se place face à la balle, il y aura sûrement une frappe lourde et puissante du cou-de-pied, à la Roberto Carlos. S'il se positionne légèrement de biais, vers sa gauche, c'est qu'il travaillera le ballon de l'intérieur du pied, à la Zizou, pour lober le mur et viser ma lucarne droite.

J'ai confiance en mon mur qui doit faire preuve de courage et les têtes ne doivent pas se baisser malgré la violence du tir. Notre entraîneur, qui a supervisé l'équipe adverse, nous a recommandé de ne pas sauter, car il arrive à leur tireur de frapper à ras de terre et de faire ainsi passer le ballon sous les semelles d'un mur indiscipliné.

Juninho, ici face au mur français, est le cauchemar de tous les gardiens de but. Le goal, masqué au départ du tir, aura bien du mal à maîtriser le ballon si celui-ci parvient à contourner le mur des joueurs.

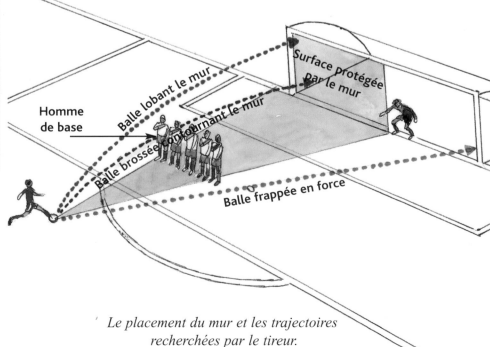

Le placement du mur et les trajectoires recherchées par le tireur.

Extension

Un bond impressionnant de David Trezeguet qui tente une interception quasiment impossible devant le gardien uruguayen Fabian Carini. Dans ces élans extrêmes les blessures sont fréquentes et seul un entraînement intensif permet de réaliser de tels gestes. Les muscles sont sollicités au maximum de leur capacité et l'élongation, voire le claquage, sanctionnera toute défaillance physique.

Pour minimiser ces risques de blessures qui contraignent les joueurs à de longues semaines d'indisponibilité, il ne faut pas négliger les échauffements d'avant match, trop souvent bâclés dans les petites divisions amateurs et chez les jeunes.

La joie de marquer n'est comparable à aucune autre. Le tir vient de partir et je sais déjà qu'il va être victorieux. D'abord il y a le regard dépité du goal qui a lui aussi compris la situation... La balle touche le chanvre et gonfle les filets tendus avec un crissement particulier, plainte ou mélodie suivant le camp dans lequel on se trouve, celui du vainqueur ou du vaincu. Puis elle glisse vers le sol, tressaute encore quelques instants comme pour prolonger cet intense moment de plaisir, trop rapidement interrompu par le coup de botte rageur du gardien qui expédie au plus vite et au plus loin ce ballon qui vient de le trahir.

La joie personnelle est maintenant collective mais attention, un manque de concentration et un replacement trop lent de mes partenaires venus me féliciter pourraient être immédiatement sanctionnés par un but adverse et le plaisir changer rapidement de côté.

Buuut! Buuut!

Toute l'inquiétude se lit dans le regard
du gardien brésilien Nelson Dida.

Peu importe le nom du buteur.
L'Espagne est terrassée et l'équipe
de France, après un départ laborieux,
continue son chemin en coupe du Monde!
Pages suivantes :
But : le gardien mexicain est
impuissant malgré une belle détente.

Être supporter

Il est dit que l'enthousiasme des supporters équivaut au douzième homme d'une équipe. C'est vrai, mais le plaisir qu'ils éprouvent est, hélas ! trop souvent gâché par des débordements qui ternissent les performances de leurs héros. Un bon supporter doit savoir être fidèle à ses couleurs dans les moments difficiles où les résultats ne sont pas à la hauteur de ses espérances. Il appréciera davantage le bonheur d'assister à la victoire des siens, comme ce fut le cas pour l'équipe d'Italie qui échoua deux fois contre la France avant de s'imposer en finale du Mondial 2006 grâce aux tirs au but.

Adieu maestro...

Il l'a fait! En finale de la coupe du Monde 2006. Face à Buffon, le meilleur gardien de but du monde. Devant 80 000 spectateurs et des millions de téléspectateurs.

Zidane sait que les goals choisissent de plonger d'un côté pour avoir une chance sur deux de faire le bon choix. Il aurait pu, comme beaucoup de tireurs aujourd'hui, frapper fort au centre. Non. Zizou préfère l'élégance. Il tente alors l'incroyable, l'impensable, l'inimaginable, une «Panelka», pichenette dérisoire qui dépose le ballon sous la transversale, la touchant même. Buffon, impuissant et meurtri au sol, suit au ralenti la trajectoire cauchemardesque d'une balle qui n'en finit pas de franchir la ligne... Zidane, d'un trait de génie, fait taire à jamais ceux qui ont un moment douté.

Ce geste demande un tel sang-froid, une telle maîtrise, qu'on pouvait le croire invulnérable, même confronté à des provocations verbales. Hélas, Zizou à craqué, se privant, nous privant d'une sortie triomphale mille fois méritée.

Amorti
et grand pont

Depuis quelques minutes, le jeu se déroule de l'autre côté du terrain. Dans le couloir droit, sans négliger ma tâche défensive, je tente de me faire oublier en attendant patiemment le changement d'aile qui me replacera en position offensive. Matthieu, patte gauche redoutable, m'a vu. Il adresse une longue transversale de quarante mètres qui arrive droit sur moi, à hauteur de la poitrine. Mon adversaire direct ayant relâché son marquage, j'hésite entre l'amorti et le contrôle orienté. En tournant mon buste au moment du contact avec le ballon, je me retrouve en mouvement, déjà lancé, face au défenseur, plus statique. Grâce à cet avantage j'arrive avec une fraction de seconde d'avance sur la balle que je dévie d'une pichenette sur la droite tout en contournant le joueur sur sa gauche. Le grand pont est réussi. Encore une touche de balle pour me permettre de lever la tête et faire le bon choix en fonction du positionnement de mes partenaires. Jim s'est engagé en profondeur au second poteau, entraînant la défense dans sa direction; pour le centre, je choisirai plutôt Elliot, légèrement en retrait, démarqué grâce à l'appel de balle de son camarade. Ces occasions sont rares, il ne faut pas les gâcher par une mauvaise finition.

Athlétique et doté d'une excellente détente, Didier Drogba est souvent sollicité par de longues balles aériennes. En fonction du placement des défenseurs et de ses partenaires, il choisira l'amorti de la poitrine ou la déviation de la tête.

Le grand pont en deux séquences :
1. l'attaquant dévie la balle sur la gauche du gardien,
2. il contourne le gardien de l'autre côté et reprend possession du ballon.

Le lob

Se voyant pris de vitesse, le gardien se jette en plaçant son corps horizontalement afin de protéger au maximum son but. L'attaquant sait alors qu'il n'a d'autre possibilité que de tenter de le lober. Son regard, déjà, indique la trajectoire idéale que devra suivre le ballon. Du plat du pied son toucher est délicat car la balle doit être suffisamment appuyée pour lober le gardien et bien ajustée pour retomber rapidement sous la transversale.

La sanction du contact inévitable qui conclura l'action sera laissée à l'appréciation de l'arbitre; en effet, il est toujours délicat dans ces situations de savoir lequel des joueurs a heurté l'autre puisqu'ils ont, tous les deux, joué parfaitement et loyalement le ballon.

Le gardien espagnol Casillas, grâce à cette sortie spectaculaire face à l'attaquant irlandais Robbie Keane, a de grandes chances de préserver son but. Fernando Hierro, de dos, suit l'action sans pouvoir protéger son partenaire.

Reprise de volée

Jouer en nocturne procure des sensations bien particulières; la pelouse, fraîchement tondue, dégage une odeur de prairie et les projecteurs illuminent le terrain d'un vert intense, comme une scène de théâtre où des acteurs vont interpréter une pièce dont le scénario n'est connu de personne. Mais voilà, avant-centre, je suis un peu myope et je joue sans mes lunettes. Il ne faut pas que mon entraîneur devine ce handicap sinon je risque de ne pas être titulaire.

Corner à droite. Pierre le tire du pied gauche, comme il en a l'habitude. Placé en embuscade au deuxième poteau, à la hauteur du point de penalty, je distingue à peine le ballon au départ de la frappe. Puis la balle s'élève, dans ma direction, avant d'être prise dans le faisceau des projecteurs et de disparaître à nouveau. Ébloui, je la devine plus que je la vois, mais instinctivement je me suis préparé, bien sur mes appuis, appliqué à exécuter en aveugle le geste tant de fois répété à l'entraînement. Et le miracle s'accomplit. La reprise de volée est splendide et le ballon propulsé dans la lucarne! Magique. Davantage encore car ce match se joue en lever de rideau de l'équipe de France, devant plusieurs milliers de spectateurs...

Une magnifique reprise de volée victorieuse de Ludovic Giuly malgré l'opposition de Yohan Lachor. Le plaisir est alors intense car ce geste ponctué de réussite est rare dans toute une carrière.

Le geste classique de la reprise de volée voudrait que l'on reprenne du pied droit un ballon venant de la gauche et du pied gauche un ballon venant de la droite. Nombreux, pourtant, sont les joueurs qui préfèrent toujours utiliser leur meilleur pied.

Coup de vent

Non, ce n'est pas un coup de vent, expression chère à Thierry Roland,
qui a fait s'envoler Franck Ribery (ci-dessus). Le moindre contact peut
déséquilibrer un joueur en pleine action. Certains, il est vrai, ont tendance
à en «rajouter», mais il faut distinguer du tricheur celui qui, se voyant
contraint de tomber, choisit d'accompagner ou d'amplifier le mouvement
afin de mieux contrôler sa chute. Il évitera ainsi la luxation du coude ou
de la clavicule qu'on peut craindre en observant la réception au sol de
Zlatan Ibrahimovic (à droite).

Blizzard

Il neige, le vent est glacial. Licencié en Picardie, terre plus propice, l'hiver, à la culture de la betterave à sucre qu'à la pratique du football, j'espère que le terrain sera impraticable et le match remis. Jouant à l'extérieur, je me précipite sur la pelouse dès la descente du car. Surprise : le préposé à l'entretien du stade a minutieusement tracé les lignes avec de la cendre et elles sont tout à fait visibles sur la neige. L'arbitre officiel est lui aussi présent, solide gaillard aux pommettes colorées, certainement habitué au grand air de la campagne. À pas décidés, il parcourt les quatre coins du terrain, faisant rouler le ballon par endroits et rebondir à d'autres. Sans un mot il regagne les vestiaires et en ressort quelques instants plus tard, un ballon rouge sous le bras... « On joue ! »

Catastrophe, j'ai horreur du froid. Malgré les pieds frictionnés de pommade chauffante sur une couche d'huile camphrée et la double paire de chaussettes de laine, le froid paralyse mes doigts de pieds. Je n'ai plus de sensations, aucun plaisir à jouer. Il faudra pourtant tenir les 90 minutes, boisson chaude et sucrée en guise de remontant. Il y a des jours où je regrette vraiment de ne pas être handballeur !

Un ballon rouge bien utile pour cette rencontre jouée dans de mauvaises conditions climatiques.

Maintenus, hélas ! pour contraintes économiques, certains matchs ressemblent plus à du water-polo qu'à du football.

*U*ne mauvaise communication entre partenaires peut créer des situations bien périlleuses, comme ci-dessus entre Ze Roberto et Roque Junior.

Le football féminin s'affirme de jour en jour et la qualité des gestes est tout aussi spectaculaire que chez les garçons, comme en témoigne le jeu de tête de Kennya Cordner.

Fair-play

*L*e prodige argentin Messi, du FC Barcelone, esquive de son mieux le gardien Sancho Broto. Ce dernier, en revanche, laisse traîner un pied qui risque de lui coûter un penalty et de blesser son adversaire (ci-dessus).

Didier Drogba, ex-buteur Marseillais brillant aujourd'hui à Chelsea, voyant qu'il arrivera en retard sur le gardien Radakovic, déjà en possession du ballon, fait tout pour éviter un contact pouvant le blesser sérieusement (à droite).

Coup de reins

L'épreuve de vitesse la plus courte et la plus rapide en athlétisme est le 100 mètres. Le coup de reins, lui, est une accélération fulgurante sur 3 à 5 mètres.

Au coude à coude, la bataille est rude. Le débordement de mon arrière latéral, sur l'aile gauche, est presque réussi et la course bien lancée. Sur quelques foulées il va falloir que je passe l'épaule et prenne définitivement l'avantage sur l'adversaire, sans perdre de vue la conduite de la balle qui frôle dangereusement la ligne de touche.

La vitesse est une qualité majeure que tout footballeur rêve de posséder. En effet, contrairement aux autres atouts indispensables à la pratique du football à un bon niveau, l'accélération ne peut s'acquérir par l'entraînement. On l'améliore, certes, mais le coup de reins qui permet de prendre de vitesse l'adversaire en quelques mètres est inné. Heureux sont ceux qui en ont hérité, comme Thierry Henry, Drogba ou Cissé.

Grâce à ma vivacité, je vais pouvoir éviter le dernier recours du défenseur toujours tenté de créer le contact, pas forcément dangereux, mais suffisant pour me déséquilibrer et provoquer ma chute ou la perte du contrôle de la balle.

En quelques foulées, Ronaldinho, sacré Ballon et Soulier d'or 2005, va prendre un avantage irréversible sur son adversaire impuissant. Sa technique individuelle, sa vitesse et sa vision collective du jeu font actuellement de lui le meilleur joueur du monde

Un coup de reins indispensable pour franchir l'obstacle du tacle.

Chasseurs de buts

On n'est pas meilleur buteur du championnat anglais et italien par hasard. Dans toutes les positions, du pied droit comme du gauche, le chasseur de but est capable de faire la différence. Il est préférable de ne pas laisser le temps à Henry ou Trezeguet d'armer leur tir, sous peine d'avoir à aller chercher le ballon au fond des filets.

petit pont

Ballon défensivement écarté de la tête, je le récupère à l'angle des 18 mètres, côté droit. L'arrière latéral chargé de me marquer se précipite pour me barrer le chemin, puis se fige face à moi. La balle bien calée entre mes pieds, j'observe sa position d'attente. Tout se joue alors en une fraction de seconde; une feinte de corps vers la droite pour laisser supposer que je vais le contourner de ce côté et filer le long de la ligne, immédiatement suivi d'un crochet qui me propulse vers l'intérieur. Il avance alors sa cuisse droite pour m'en empêcher, mais son geste lui a fait écarter les jambes, juste le temps de lui glisser la balle entre les chaussures. C'est le petit pont parfait; il faut maintenant éviter ses bras car ce dribble est ressenti comme vexant par certains joueurs qui préfèrent commettre une faute que de se voir passer ainsi. Mais le mouvement m'a propulsé à l'intérieur de la surface de réparation et il ne fera pas obstruction, me permettant d'aller au bout de mon action et de centrer en retrait, offrant ainsi une balle de but à Bruno, l'avant-centre, qui ne rate pas l'occasion de marquer.

Après la joie collective qui s'ensuit, je ne peux m'empêcher d'avoir une pensée pour l'arrière qui, j'en suis sûr, va se voir reprocher sa défaillance et être accusé de négligence. Le prochain duel entre nous sera joué simplement de ma part car le premier contact après un petit pont est souvent rude.

Le joueur qui réussit un petit pont n'est pas forcément parti avec l'intention de le réaliser. Il est le plus souvent le résultat d'une opportunité provoquée par un dribble qui place l'adversaire dans une position idéale pour le tenter, comme Samuel Eto'o face à Caneira.

Le petit pont est bien amorcé; il faut maintenant récupérer le ballon en contournant l'adversaire.

Contrepied

*L*e dribble ne s'explique pas. Il est le résultat d'un déséquilibre provoqué chez l'adversaire par une feinte du corps, le privant ainsi de ses appuis. Tout l'art de Zinedine Zidane consiste à mêler contrôle de balle et dribble. En effet, ses contrôles orientés surprennent déjà ses adversaires, les plaçant d'entrée dans une position instable propice à un enchaînement de feintes de corps qui débouchent sur des contrepieds spectaculaires.

Joueur d'exception et véritable numéro 10, notre ballon d'or permet à son équipe, en recevant de nombreux ballons dos au but adverse, de passer d'une position défensive à une action offensive, replaçant après son intervention ses partenaires en direction du but.

Intérieur? Extérieur? Roulette?
Impossible d'anticiper avec
certitude quand Zinedine Zidane
prend possession du ballon.
Même l'arbitre a du mal
à se placer pour ne pas gêner
son action...

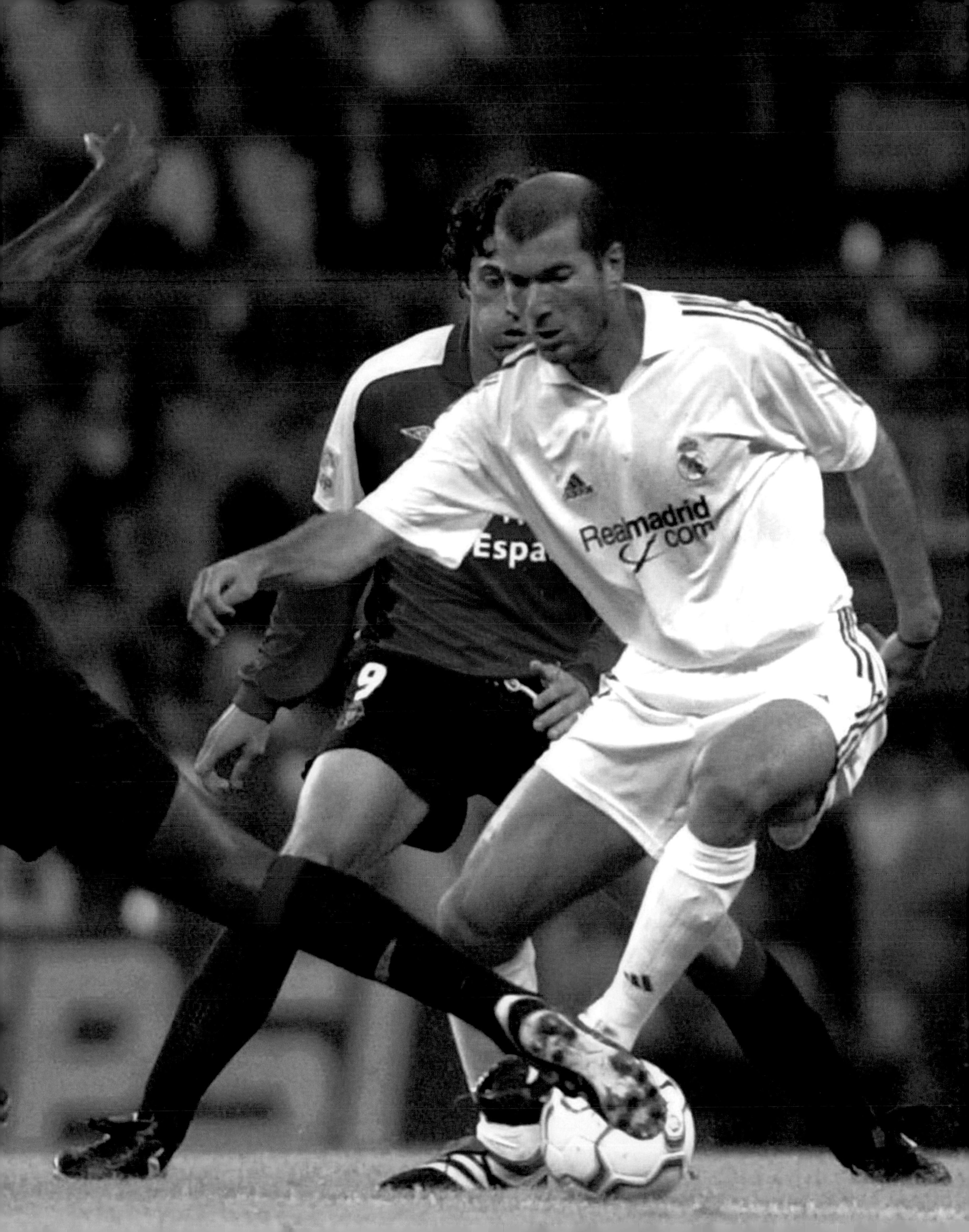
Realmadrid
com

Cache-cache

*T*out l'art du contrepied résumé en cinq photos de Zinedine Zidane, toujours en équilibre contraire-ment à ses adversaires surpris par ses contrôles orientés et ses feintes de corps.

Tirer n'est pas jouer

Dur de se voir dribblé. La tentation est alors trop forte d'agripper le maillot ou le short, même si le joueur sait que le carton jaune, voire le rouge dans le cas du dernier défenseur, risque d'être la sanction méritée pour cet acte d'anti-jeu.

Le tirage de maillot n'est cependant pas réservé à l'avortement des actions spectaculaires de débordement. Il empoisonne trop de phases de jeu comme les corners et les coups francs où défenseurs comme attaquants s'accrochent à qui mieux mieux sous les yeux d'arbitres parfois dépassés tant les fautes sont nombreuses...

*Le Sénégalais Omar Daf n'a aucun espoir
d'empêcher de façon régulière
le débordement de Thierry Henry.
Certaines équipes, pour rendre plus difficile
la saisie du tissu, adoptent des maillots moulants
dont la coupe est très ajustée au corps.*

*Luis Figo emploie les grands moyens pour
stopper Patrick Vieira. Si la mise à nu
prête à sourire, la semelle sur la cheville de
Vieira est plus répréhensible.*

Ne pas se jeter ! Face à Ronaldo le gardien David Seaman est bien resté sur ses appuis, bras écartés pour boucher l'angle de ses buts et jambes fléchies pour pouvoir à la fois bondir et éviter le tir entre les jambes. Bien joué ; l'attaquant va devoir choisir entre une frappe vouée à l'échec, un centre sur un éventuel partenaire démarqué ou un dribble. La feinte de corps est bien amorcée si l'on observe la position du buste de Ronaldo par rapport à ses jambes, et particulièrement le mouvement de sa cheville droite.

Dans cette position où l'angle est très fermé, bien des attaquants tentent néanmoins le tir. On peut juger dans ces actions l'état d'esprit qui règne dans une équipe, quand un joueur effectue une passe en retrait à un partenaire mieux placé que lui.

Puissance et agilité

«Il y a les déménageurs de pianos et ceux qui en jouent», se plaisait à dire
Antoine Blondin, écrivain et célèbre chroniqueur sportif, en parlant de la complé-
mentarité d'une équipe de rugby. Dans le football moderne, tous les joueurs doivent
savoir jouer du piano et posséder plusieurs registres : puissance défensive chez
Roberto Carlos (à gauche), agilité chez Willy Sagnol (ci-dessus) qui, après avoir pris
le meilleur sur le Brésilien Kaka, cherche du regard le partenaire démarqué.

*Après avoir détourné la frappe
de Mamadou Niang, Fabien Barthez,
désigné cinquième tireur,
donnera quelques minutes plus tard
la victoire à son équipe
en réussissant le dernier penalty décisif.*

Tirs au but

La séance de tirs au but est une conclusion impitoyable, cruelle et épuisante pour les nerfs déjà éprouvés par le déroulement du match. C'est le moment des conciliabules. Le goal, c'est sûr, va participer à l'épreuve. Déjà, dans son coin, il se concentre, imaginant d'hypothétiques arrêts qui vont faire de lui un héros. Les autres joueurs sont mitigés. Il y a ceux qui, trop sûrs d'eux, tentent d'influencer le choix du coach malgré un coefficient de réussite aux entraînements qui ne plaide pas en leur faveur. D'autres, au contraire, se planquent un peu ou refusent catégoriquement la sélection. Et les derniers qui la subissent, fatalistes, car il faut bien que cinq joueurs se dévouent...

Le suspense commence alors, sous la vigilance des arbitres qui se répartissent les zones d'observation. Un juge de touche se place perpendiculairement au but pour vérifier le franchissement de la balle par rapport à la ligne de but. L'arbitre, lui, surveille si le ballon ne déborde pas du rond tracé à 11 mètres du but. Il vérifie également les déplacements latéraux du gardien dont les pieds doivent néanmoins restés sur la ligne de but jusqu'au moment du tir. Le troisième se place aux abords du rond central et surveille la succession des participants.

Les rebondissements sont fréquents et les plongeons des gardiens répondent aux tirs réussis ou ratés des intervenants. À la déprime d'un échec répond un espoir après un arrêt miraculeux ou un tir inespéré dans les nuages. Puis la confiance s'installe après un avantage conséquent, avant que la délivrance n'explose dès l'issue devenue irréversible.

C'est alors l'euphorie d'un côté et la déception de l'autre, victoire pas toujours édifiante mais plus juste tout de même que le verdict émanant d'une simple pièce lancée en l'air.

Capitaine

Meneur d'hommes, clairvoyant dans l'analyse du jeu qu'il visualise globalement par sa position de joueur de milieu de terrain, expérimenté, respecté par ses partenaires, Didier Deschamps a été un capitaine exemplaire. Il l'a démontré dans les différents clubs où il a joué (Nantes, Marseille, Juventus) et en équipe de France championne du Monde en 1998 et d'Europe en 2000.

Pièce maîtresse pour l'entraîneur dont il est le relais sur le terrain, confident des joueurs qu'il sait mettre en confiance et remuer quand c'est nécessaire, le capitaine est aussi le porte-parole de l'équipe auprès du club et de l'arbitre. Avant chaque rencontre il vérifie la feuille de match et la régularité des licences des joueurs adverses. Sur la pelouse, qu'il foule en premier à la tête de ses partenaires, portant un brassard qui le distingue, il tire le «toss» à pile ou face avec le capitaine adverse. Si la pièce retombe du bon côté, il aura alors la possibilité de choisir son camp ou d'engager la partie.

Mais le plus grand bonheur d'un capitaine, c'est de se voir remettre, au nom de l'équipe, le trophée qui récompense les vainqueurs d'une compétition consacrée par l'attribution d'une coupe. Tournois inter-clubs, épreuves départementales ou régionales, coupes de la Ligue, de France, d'Europe ou du Monde, une remise de médailles est partout synonyme de fierté et de grande joie.

Échange de fanions et pile ou face pour choisir son camp ou l'engagement.

Après la victoire de l'équipe de France en Coupe d'Europe 2000, Didier Deschamps décide d'arrêter sa carrière internationale. Capitaine d'exception, il deviendra seulement deux ans plus tard l'entraîneur de Monaco puis de la Juventus de Turin en 2006. Il savoure ici son dernier trophée, entouré de Zidane, Candela, Petit et Desailly.

À méditer

Tout le monde ne s'appelle pas Zidane

Le football est un sport collectif où chacun doit trouver sa place et jouer son rôle. Ton entraîneur va déceler en t'observant les qualités qui feront de toi un défenseur plutôt qu'un attaquant. Plus tard, en fonction de tes progrès, de ta technique, de ta vitesse, de ta frappe de balle, de ta taille, de ton jeu de tête, de ton endurance, ta position s'affinera encore, à droite ou à gauche, peut-être au milieu. C'est vrai, les honneurs vont plutôt vers ceux qui marquent les buts, mais s'ils y parviennent, c'est grâce au travail de tous. Tu dois rapidement prendre conscience qu'il n'y a pas de poste moins important qu'un autre.

Dans les premiers matchs, tu ne joueras peut-être pas à la place de ton choix. Ne désespère pas. Ta morphologie va changer et la différence de taille, qui souvent est un critère de préférence aux yeux d'éducateurs peu avisés, fera place à de vraies valeurs techniques, physiques ou mentales qui rendront plus exact ton positionnement sur le terrain.

De nos jours, dans un football sans cesse en mouvement où tous les acteurs doivent défendre et attaquer, le plaisir de jouer est aussi intense devant que derrière et le succès avant tout collectif.

Jouer sans le ballon

Le ballon n'est jamais immobile; tu dois l'imiter, participer, même de loin, à toutes les actions de jeu. Ôter les mains de tes hanches et être sans cesse en mouvement. Ton équipe a perdu le ballon, alors tu deviens, quel que soit ton poste, défenseur, et tu prêtes main-forte à tes partenaires; ton équipe a récupéré le ballon, alors tu dois, en bougeant, en te démarquant, en faisant des appels de balle, offrir des solutions à tes partenaires. Une équipe est efficace quand ses joueurs évoluent ensemble dans le but de ne pas laisser d'espaces de jeu libres à l'adversaire.

Attention, cela ne veut pas dire pour autant qu'il faut suivre le ballon comme des abeilles sur une tartine de confiture, mais respecter les consignes de ton entraîneur s'il t'a confié une zone précise à ne pas trop dépasser et vite te replacer à la fin de l'action.

Intérieur

Grâce à sa grande surface, l'intérieur du pied est surtout utilisé pour effectuer des passes courtes et précises. Le pied d'appui doit être à la hauteur du ballon, les bras bien en balancier pour obtenir un équilibre parfait. Le pied qui frappe est largement ouvert.

Cou-de-pied

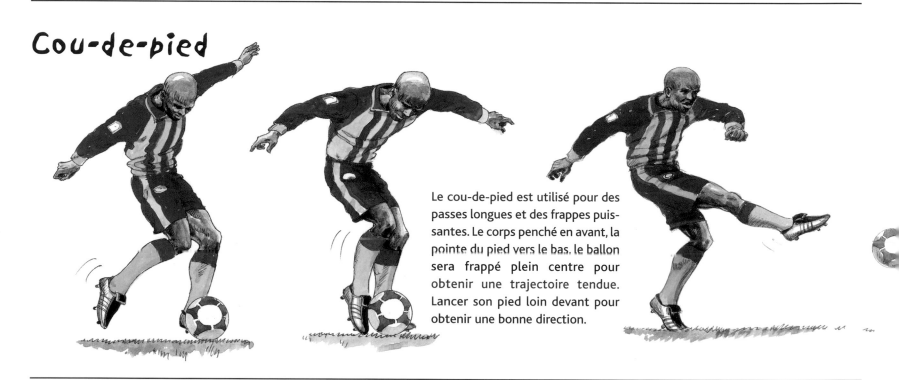

Le cou-de-pied est utilisé pour des passes longues et des frappes puissantes. Le corps penché en avant, la pointe du pied vers le bas, le ballon sera frappé plein centre pour obtenir une trajectoire tendue. Lancer son pied loin devant pour obtenir une bonne direction.

Extérieur

L'extérieur du pied est surtout utilisé pour donner de l'effet au ballon. Il est aussi recherché pour ne pas avoir à utiliser son mauvais pied, mais cela doit être évité. En effet, il est impératif de jouer des deux pieds, même si au début les résultats ne sont pas concluants. À l'entraînement, tous les exercices doivent être réalisés avec les deux pieds.

Amorti de la poitrine

L'amorti de la poitrine permet de contrôler les ballons un peu bas pour être joués de la tête ou lorsque l'on veut prendre possession d'une balle haute et poursuivre son action. Il demande un retrait du buste ou un creusement de la poitrine au moment de l'impact selon la trajectoire et la puissance du ballon.

Coup de tête

Le coup de tête peut être donné de face ou de côté, comme ici. Une bonne détente est indispensable, mais il faut également posséder un bon sens du placement car il est inutile de sauter haut si c'est au mauvais moment et au mauvais endroit. Veiller également à bien utiliser l'os frontal comme point d'impact.

Reprise de volée

La reprise de volée est très difficile à réaliser quand le ballon vient, comme ici, légèrement de derrière. Le buteur en confiance tentera la reprise au détriment du geste classique mais seule l'efficacité prévaut à cet instant.

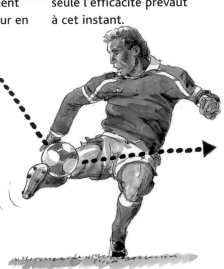

Balle brossée

Points d'impact
sur les extrémités
latérales.

La balle brossée permet d'obtenir un effet qui donne une trajectoire incurvée. Elle est utilisée sur coup franc pour contourner le mur, sur corner pour obtenir une trajectoire rentrante, ou pour éviter un adversaire sur un centre ou une passe. Le ballon, frappé à une extrémité latérale, tournera sur lui-même et s'élèvera plus ou moins selon l'inclinaison du pied du joueur.

Tableau noir

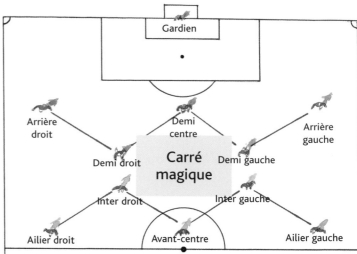

Le WM et son carré magique a duré quelque trente années. Le marquage était alors individuel et l'avant-centre luttait à 1 contre 1 avec le demi centre (ou arrière central). Les arrières neutralisaient les ailiers et les inters étaient chargés d'alimenter leurs attaquants en bons ballons.

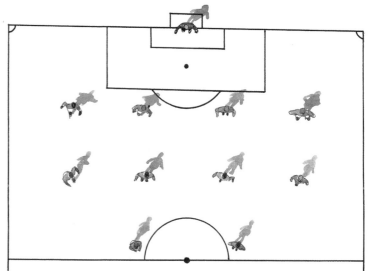

Après le 4-2-4 et le 4-3-3, le 4-4-2 fait son apparition. Quatre défenseurs dont deux centraux qui peuvent se couvrir mutuellement. Quatre milieux de terrain chargés de récupérer le ballon et d'organiser le jeu offensif. Deux attaquants chargés de marquer les buts.

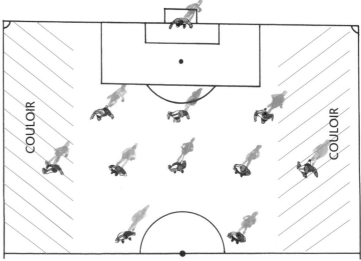

Le 3-5-2 privilégie le milieu du terrain. Les attaquants n'étant que deux, trois défenseurs suffisent. La notion de couloir apparaît où s'engagent fréquemment les défenseurs adverses.

Glossaire

LIBERO : arrière central qui se tient légèrement en retrait de ses partenaires. Il commande et assure la couverture des défenseurs. Sa position indique à ses coéquipiers quand ils doivent jouer le hors-jeu.

STOPPEUR : défenseur central positionné devant le libero. Sa mission est de stopper l'attaquant adverse pénétrant dans sa zone. Il peut aussi être chargé de marquer individuellement un attaquant adverse.

LATÉRAUX : défenseurs chargés de marquer les ailiers ou d'empêcher la montée des adversaires dans les couloirs. Ils sont, dans le football moderne, souvent autorisés à utiliser les couloirs pour prêter main forte aux attaquants de leur équipe en leur adressant des centres.

MILIEUX : joueurs positionnés entre leur défense et leur attaque. Selon le schéma tactique adopté par l'équipe, certains vont se voir davantage impliqués dans la récupération du ballon (milieux défensifs) et d'autres dans la construction du jeu offensif (milieux offensifs). Ils profiteront aussi de la moindre occasion pour s'engager dans les couloirs et déborder les latéraux adverses.

N° 10 : positionné entre le milieu et l'attaque, il est chargé d'organiser le jeu offensif de son équipe. Zidane en est le meilleur exemple.

AVANT-CENTRE : c'est l'attaquant le plus en pointe, celui sur lequel on compte pour marquer des buts. Souvent seul à l'extérieur, il fixe la défense, la harcelant sans cesse pour la contraindre à jouer près de ses buts.

AILIER : attaquant ayant la vocation de jouer le long de la ligne de touche, de déborder grâce à sa vitesse et d'effectuer des centres au profit de ses partenaires.

DEUXIÈME ATTAQUANT : le schéma tactique de nombreuses équipes actuelles repose sur une attaque avec deux joueurs. L'avant-centre reste le plus en pointe et le deuxième attaquant tourne autour de lui pour créer des brèches et ainsi lui servir d'appui.

Aujourd'hui, avec la multiplicité des schémas tactiques, il est difficile d'attribuer un rôle figé à chaque poste. Les définitions données ci-dessus permettront aux jeunes joueurs d'avoir une approche globale du langage utilisé par leur entraîneur ou de suivre plus précisément les commentaires accompagnant les matchs retransmis à la télévision.

APPEL - CONTRE-APPEL : en s'engageant dans une direction, les joueurs indiquent leur désir de réceptionner le ballon dans une zone précise. Plus les appels de balle sont nombreux, plus les possibilités de choix sont offertes au porteur du ballon.
Le contre-appel sert à désorienter l'adversaire. Le joueur feint de vouloir mettre le ballon à un endroit mais il change aussitôt de direction en espérant prendre de vitesse son adversaire obligé de réajuster sa course.

APPUI : c'est offrir à un partenaire en difficulté la possibilité de vous adresser une passe sans risquer de perdre la balle. Ce soutien est très important car il permet de faire tourner le ballon en attendant l'opportunité de porter une attaque.

BLOC : positionnement très rapproché des différentes lignes (arrière-milieu-attaque) ne laissant qu'un minimum d'espace libre à l'adversaire. Le résultat d'un match dépend fréquemment de ce facteur.

COUVERTURE DE BALLE : se dit d'un joueur qui protège le ballon grâce à la position de son corps empêchant son adversaire de l'approcher.

DÉBORDER : c'est dribbler un arrière en le prenant de vitesse le long de la ligne de touche.

JOUER HAUT : se dit d'une équipe dont le positionnement du bloc ou d'une ligne est situé loin de son but. Souvent demandé par les entraîneurs pour que leurs joueurs ne se recroquevillent pas en défense et ne laissent pas l'initiative du jeu à leurs adversaires.

JOUER LA LIGNE : alignement impératif d'une défense qui veut placer l'attaque adverse en position de hors-jeu. Si l'un des défenseurs reste à la traîne, il couvre ainsi l'adversaire et il n'y a pas hors-jeu.

MONTER - REMONTER : sur corner ou sur coup franc, les défenseurs de grande taille sont autorisés à monter sur le but adverse pour mettre à profit leur jeu de tête. Terme également employé quand un joueur d'une ligne monte d'un cran (arrière passant milieu ou milieu passant attaquant).
Après une action offensive adverse, le gardien et le libero incitent leurs partenaires à remonter rapidement pour placer les joueurs qui ne se replient pas assez vite en position de hors-jeu.

PROFONDEUR : donner de la profondeur au jeu, c'est aller vers l'avant en perforant les lignes adverses.

UNE-DEUX : phase de jeu primaire mais essentielle du football. Passer le ballon à un partenaire, faire un appel et le récupérer aussitôt sans contrôle de la part de ce dernier.

Toutes les photographies de cet ouvrage
proviennent de l'agence AFP

Dominique Faget 8 / Derrick Ceyrac 10-11 / Adrian Dennis 13 / Odd Andersen 14-15 - 18 / Johannes Eisele 16-17
Greg Wood 34-35 - 61Martin Bureau 20 - 21 / Gérard Julien 19-57 / Alex Livesey 22 / Roberto Schmidt 23
Patrik Stollarz 24 / Olivier Matthys 25 / Patrick Hertzog 27 - 60 - 67 h - 68 / Franck Fife 28-29
Christian Palma 32-33 / Gabriel Bouys 36 - 66 bg / STF 37-69 / François Guillot 38-39 / Mario Laporta 40 / Eric Cabanis 41
Shaun Botterill 42-43 - 45 / Jimin Lai 46-47 / Pascal Guyot 48-49 / Denis Charlet 50
Getty Image/AFP 51 / Luca Zennaro 52-53 / Olivier Lang 54 / Christian Palma 55 / Lluis Gene 56 / Claudio Chavez 59
Cesar Rangel 62-63 / Kote Rodrigo 64-65 - 72 / Francisco Paso 66-67 / Pierre-Philippe Marcou 67 bd / Louisa Gouliamaki 66 h
Philippe Huguen 70-71-77 / Ben Radford 73 / Boris Horvat 74-75 / Stuart Franklin 78.
Couverture : plat 1 Ben Radford - plat 4 : Odd Andersen

Conforme à la loi n°49-956 du 16 juillet 1949 sur les publications destinées à la jeunesse

ISBN : 2-7324-3572-4
Dépôt légal : novembre 2006
Imprimé en Belgique chez Proost